AVEZ-VOUS LU
les classiques de la littérature ?

ISBN : 978-2-81021-754-0

www.editions-ruedesevres.fr

Dépôt légal : octobre 2020
Imprimé en France par Clerc

SOLEDAD BRAVI PASCALE FREY

AVEZ-VOUS LU

les classiques de la littérature ?

RUE DE SÈVRES

Les Habits neufs de l'empereur

de H. C. Andersen

Parmi les 178 contes qu'écrivit Hans Christian Andersen, on aurait pu choisir *La Petite Sirène*, *La Princesse au petit pois*, *Le Vilain Petit Canard* ou *La Petite Fille aux allumettes* (tellement triste), mais *Les Habits neufs de l'empereur* est aussi réjouissant (quel abruti, ce roi vaniteux qui se laisse embobiner par deux malfrats) que contemporain : l'exercice du pouvoir peut rendre aveugle, les courtisans deviennent stupides et déshydratés à force de lécher des bottes, et il y a toujours des gens plus malins que les autres, plus malhonnêtes que les autres, pour profiter d'une situation fragile. Hans Andersen publie cette histoire au début de sa carrière d'écrivain, en 1837. Ce sont les contes qui le rendirent célèbre, firent sa fortune, et le bonheur des Danois ravis de l'éclosion d'un nouveau recueil à chaque Noël. Plus qu'une simple distraction, ces textes sont une manière d'appréhender le monde, un moyen de faire durer une enfance durant laquelle il entendit et emmagasina toutes ces légendes.

Hans Christian Andersen naît le 2 avril 1805 à Odense, au Danemark. Il mène une enfance heureuse entre sa mère et un père cordonnier. À 14 ans, il part à Copenhague pour faire fortune. Il se cherche, tentant sa chance dans le théâtre, la danse, la poésie. Mais c'est grâce à l'écriture de contes qu'il trouve sa voie, même s'il écrivit aussi des romans, des récits de voyage et des livres autobiographiques, totalement tombés dans l'oubli. Il publie un premier recueil en 1835 qui le rend célèbre. Mais comme nul n'est prophète en son pays, il voyage beaucoup car ses histoires se vendent mieux à l'étranger que chez lui. Il fréquente les souverains danois, mais aussi Charles Dickens ou Victor Hugo. Il meurt en 1875 à Copenhague. Il reste aujourd'hui l'un des auteurs les plus lus et les plus traduits dans le monde.

Les Habits neufs de l'empereur

1 L'empereur n'est pas très intéressé par la gouvernance de son pays

2 Il ne va au théâtre que pour montrer ses nouvelles toilettes

3 Deux escrocs arrivent en ville

4 et proposent à l'empereur de lui faire une tenue somptueuse

5 Les deux bandits font semblant de travailler

6 L'empereur envoie ses ministres voir l'avancée de l'habit

7 Ils ne voient rien mais ils ne veulent pas passer pour des imbéciles

8 Toute la ville est au courant de cette étoffe si particulière

9 À son tour l'empereur va voir les tisserands

10 et pour ne pas passer pour un abruti, lui aussi, dit :

c'est si beau, je mettrai cette nouvelle tenue au grand défilé

11 Les faux tailleurs font semblant de l'habiller

12 L'empereur défile dans la ville

13 Tout le monde fait mine de s'esctasier devant le vêtement, sauf un enfant :

14 Tout le peuple reprend en chœur

15 L'empereur sait qu'ils ont raison mais continue de défiler

16 ainsi que les deux chambellans qui portent la traîne qui n'esciste pas

Une vieille maîtresse
de Barbey d'Aurevilly

Elle est maigre, petite, a le cheveu crépu, une moustache irrésistible et les épaules couvertes d'un duvet brun. Vous parlez d'une bombe ! Et pourtant, Ryno de Marigny en est dingue. Cette fois néanmoins, il est persuadé qu'il va enfin réussir à quitter la Vellini. Il ne l'aime plus et est tombé follement amoureux de la ravissante Hermangarde de Polastron, le genre de femme qu'on épouse. Il est tellement sûr de lui qu'il pense n'avoir plus besoin du monde, de Paris, et le jeune couple se retire en Normandie, dans un château où il n'y a strictement rien à faire. C'est l'ennui à l'état pur et ce qui devait arriver arriva : une rechute ! L'auteur s'est inspiré de l'histoire d'amour qu'il a vécue avec « une Espagnole chaude et perverse ». Mais contrairement à son personnage, lui a réussi à rompre une bonne fois pour toutes. Ce livre, il lui faudra quatre ans pour le terminer. Encore quelques années pour trouver un éditeur. Le roman est bien accueilli, même si on lui reproche son immoralité. Qu'à cela ne tienne : une édition expurgée paraîtra en 1858. Mais aujourd'hui, heureusement, nous lisons le texte original.

Jules Amédée Barbey d'Aurevilly naît le 2 novembre 1808. Il étudie à Paris, écrit des nouvelles, des poèmes et des romans. Il devient rédacteur en chef de la *Revue du monde catholique*, publie *L'Amour impossible* en 1841, et *Une vieille maîtresse* en 1851. En 1854, il termine *L'Ensorcelée*, puis deux décennies plus tard un recueil de nouvelles, *Les Diaboliques* (qui n'a rien à voir avec le film). Mais afin d'éviter un procès pour atteinte aux bonnes mœurs, il retire le livre de la vente. Barbey d'Aurevilly termine sa carrière avec *Ce qui ne meurt pas*, avant de s'éteindre le 23 avril 1889.

Une vieille maîtresse

1

La petite-fille de
la marquise,
qui est orpheline,
est tombée amoureuse
de Ryno de Marigny

2

Sa grand-mère
est tentée de lui
dire oui

3

Il entretient,
depuis des années,
une liaison avec
une certaine Vellini

4

Il l'a dans la peau :
ils se sont quittés
et remis ensemble
mille fois

5 Mais il est vraiment tombé amoureux de Hermangarde

6 Pour prouver son honnêteté, il raconte à la grand-mère son histoire

7 Il est tombé lui aussi sous le charme de Vellini

8 Mais aujourd'hui, il est prêt à vivre avec Hermangarde

9 À leur mariage, Vellini les espionne

10 Ils quittent Paris pour habiter au bord de la mer

11 Ryno croise Vellini au bord de la falaise qui fait semblant de se suicider

12 Hermangarde, qui ne connaît pas toute l'histoire, les aperçoit

13 Elle les suit et les surprend en train de faire crac-crac

14 Elle rentre et ne dit rien, mais elle est très perturbée

elle a fait une fausse couche
ah bon ?!

15 Ryno comprend qu'elle sait tout

16 Ils rentrent à Paris, Hermangarde est très froide avec lui, mais ils restent mariés

Vingt-quatre heures de la vie d'une femme de Stefan Zweig

Cette longue nouvelle paraît en 1927, dans un recueil qui comprend aussi *La Confusion des sentiments.* Ces deux textes étaient les préférés de Sigmund Freud, ami et admirateur de Stefan Zweig qu'il estimait être un maître dans l'art de comprendre. Sacré compliment venant du fondateur de la psychanalyse. Pour celui-ci, *Vingt-quatre heures de la vie d'une femme* était tout simplement un chef-d'œuvre dans sa manière de traiter l'inconscient. On retrouve dans cette histoire le thème du secret, cher à Zweig, ainsi que l'exploit de raconter toute une vie en quelques pages, l'une de ses marques de fabrique puisqu'il écrivit 45 nouvelles contre seulement 3 romans et une poignée de biographies romancées. Zweig, qui venait d'une famille très aisée, ne fit jamais rien d'autre qu'écrire. Ses livres se vendaient bien et étaient régulièrement traduits. Cette nouvelle fit même l'objet de trois adaptations cinématographiques : en 1954 avec Merle Oberon, en 1967 avec Danielle Darrieux, et en 2002 avec Agnès Jaoui.

Stefan Zweig naît le 28 novembre 1881 à Vienne. Il appartient à la grande bourgeoisie juive de la ville, cosmopolite et polyglotte. Très jeune, il écrit des poèmes, se passionne pour la musique, le théâtre. Il suit des études de lettres à Vienne puis à Berlin, publie son premier recueil de poèmes en 1901, et traduit des écrivains anglais et français avant de se lancer en littérature. De 1919 à 1934, il vit à Salzbourg, mais quitte l'Autriche pour Londres, où il est naturalisé anglais en 1940. Désespéré de voir sombrer cette Europe qu'il aime tant, il s'envole pour le Brésil. Là-bas, alors qu'il vient de terminer son récit autobiographique, *Le Monde d'hier*, il s'empoisonne et invite sa deuxième femme, Charlotte Elisabeth, plus connue sous le nom de Lotte, à faire de même en 1942.

Vingt-quatre heures de la vie d'une femme

1 Une vieille dame confie à l'auteur comment sa vie a failli basculer en vingt-quatre heures

2 Elle était en vacances à Monte-Carlo

3 Elle remarque un jeune homme passionné et ravagé par le désespoir

4 Elle le voit qui part en courant, elle est sûre qu'il va se tuer

5 Elle le convainc de se laisser conduire à l'hôtel

6 À l'hôtel, il lui saute dessus et ils passent une nuit folle

7 Il lui raconte son histoire : il est étudiant, issu d'une famille noble polonaise

8 Ils font une pause dans une église, il promet d'arrêter de jouer

9 Ils se donnent rendez-vous à la gare pour se dire au revoir

10 Prise de folie, elle fait ses bagages pour partir avec lui

11 Elle est désespérée : elle ne connaît même pas son nom... nostalgique, elle retourne au casino

12 Il est là, en train de perdre l'argent qu'elle lui a prêté

13 Elle essaie de l'arrêter, mais il se met à l'insulter

14 Elle s'enfuit, honteuse de s'être donnée en spectacle

15 Elle reprend le train, seulement 24 heures après l'avoir vu pour la première fois

16 Bien des années plus tard, elle apprendra qu'un apprenti diplomate polonais s'était suicidé à Monte-Carlo

Martin Eden
de Jack London

Lorsque Jack London se lance dans la rédaction de *Martin Eden*, l'histoire d'un jeune marin qui va se servir de l'écriture pour conquérir Ruth, une jeune fille dont il est tombé amoureux, il envisage de l'appeler « Success ». À l'image de son héros, Jack London a faim et soif, et comme lui, son héros est déchiré entre une exigence littéraire et le désir de plaire au plus grand nombre. Le grand sujet de *Martin Eden*, en dehors de l'ambition, est la littérature : comment découvre-t-on la lecture puis l'envie d'écrire, comment apprend-on le métier, comment trouve-t-on un éditeur, puis comment réussit-on un best-seller. Sans rien renier de ses années de vaches maigres, Martin Eden va devenir riche et célèbrissime, tous ces gens qui le méprisaient se prosternant dorénavant devant lui. Jack London aura à peu près le même parcours, mais il sera peut-être resté moins fidèle à ses convictions que Martin. C'est en tout cas ce que lui reprochent ses amis du parti socialiste. Devenu alcoolique, publiant comme un forcené, Jack, comme Martin, n'aura finalement été comblé ni par l'amour ni par la gloire.

Jack London naît le 12 janvier 1876, d'une mère spirite et d'un professeur d'astrologie. On ignore ce que prédisait son thème astral, mais il aura une enfance difficile. Il grandit à Oakland, près de San Francisco. À 15 ans, il quitte l'école pour gagner sa vie, bourlingue pour éviter l'usine. Il part chercher de l'or et revient toujours aussi pauvre mais la tête pleine d'images. Il se découvre une passion pour Kipling, et se met peu à peu à écrire, tout en continuant à travailler. Il tombe amoureux de Mabel, une jeune femme de la bonne bourgeoisie qui servira de modèle au personnage de Ruth, mais en épouse une autre, Elizabeth May Maddern, sans grande conviction semble-t-il. Il publie *Le Loup des mers* en 1904, *Croc-Blanc* deux ans plus tard, et *Martin Eden* en 1905. Usé avant l'heure, il meurt à 40 ans.

Martin Eden

1 Martin Eden est un jeune marin, il travaille depuis qu'il est enfant

2 Il sauve Arthur, un jeune bourgeois, d'une mauvaise bagarre

pour te remercier, je t'invite à déj chez moi

3 Martin flippe, il ne sait pas comment se tenir à table

4 Il se lie d'amitié avec Ruth, elle fait son éducation : il devient cultivé

5

Mais il faut qu'il gagne de l'argent pour pouvoir l'épouser

6

Il écrit comme un fou mais personne ne le publie

7

Ruth veut qu'il accepte un travail pour gagner sa vie

mais non, je vais y arriver, je vais réussir à être publié...

8

La mère de Ruth exige que sa fille rompe les fiançailles

9

Il perd toutes ses illusions

10

Mais tout à coup, ses livres deviennent des best-sellers, tout le monde les veut

MEILLEURES VENTES

LA HONTE DU SOLEIL

TROP TARD

11

Il a beaucoup d'argent, il dépanne ceux qui l'ont aidé

12

Les gens qui le snobaient se battent pour l'inviter à dîner

13 Même Ruth revient

14 Il est dégoûté par le comportement humain

15 Quelque chose est mort en lui, il quitte tout

16 Il trouve la vie factice et préfère se suicider

Le Grand Meaulnes
d'Alain-Fournier

C'est le jour de l'Ascension, en 1905, qu'Alain-Fournier croise le chemin de la très belle Yvonne de Quiévrecourt de passage à Paris. Il la suit, l'aborde, ils échangent à peine quelques paroles avant que la jeune fille ne s'enfuie devant l'inconvenance de la situation. Si Facebook avait existé, un message aurait permis de la retrouver, Google Maps aurait terminé le travail en conduisant le jeune homme à sa dulcinée… et il n'y aurait pas eu de roman, en tout cas pas celui-là ! Alain-Fournier, hanté par cette brève rencontre, finira par découvrir qu'elle habite dorénavant la province où elle a épousé l'homme auquel elle était promise. Tout naturellement, lorsqu'il se lance dans un roman, cette idylle fantasmée en devient l'un des pivots. Le jeune homme publie *Le Grand Meaulnes* en 1913. Et s'il manque de peu le prix Goncourt, cela n'empêchera toutefois pas le livre de traverser le siècle suivi d'une cohorte de fans absolus, malgré les malentendus dont il fit l'objet. Cette nostalgie de l'enfance, cette part de mystique qui sème parfois la confusion, tout cela déconcerte et plaît à la fois. Le romancier avait prévu de réécrire la fin, pour la rendre moins déroutante… Il n'en eut pas le temps.

De son vrai nom **Henri-Alban Fournier**, Alain-Fournier naît le 30 octobre 1886. Fils d'instituteur, comme son narrateur François Seurel, il fait très jeune la connaissance de Jacques Rivière, le futur directeur de la célèbre NRF, dont il devient inséparable. Rivière épousera d'ailleurs Isabelle, la sœur de Fournier. Son enfance, baignée par des rêves de merveilleux et de paradis perdu, imprègne son premier et seul roman. Il aura tout juste le temps de commencer un autre livre, *Colombe Blanchet*, et de tomber amoureux d'une comédienne, Simone, avant d'être tué près de Verdun, en 1914.

Le Grand Meaulnes

1 François, le narrateur, a 15 ans et habite dans son école

2 Augustin Meaulnes est pensionnaire chez François

j'ai 17 ans

Ah oui ? Super

3 Il devient l'idole de l'école et le grand ami de François

ils me surnomment tous Le Grand Meaulnes

4 Un jour, LGM emprunte une carriole et se perd

5 Il arrive dans un château où va être célébré un mariage

6 Le mariage est annulé car la fiancée, Valentine, a changé d'avis

7 LGM revient à l'école trois jours après, il raconte tout à François

8 Il cherche partout dans le château mais ne la retrouve pas

9 Par chance, Frantz vient dans leur ville, et donne l'adresse de sa soeur à LGM

10 LGM cherche Yvonne pendant un an sans succès, c'est François qui la retrouve

11 LGM et Yvonne se marient. Frantz dit à LGM :

12 LGM quitte Yvonne le lendemain des noces pour honorer son pacte

13 LGM retrouve Valentine, Frantz l'épouse

14 LGM prend sa fille et s'en va

15 Dans le journal de LGM, François découvre que, quand LGM cherchait Yvonne à Paris, il a eu une histoire avec Valentine, sans savoir qu'elle était l'ex de Frantz

16 Par culpabilité il a abandonné Yvonne pour chercher Valentine pour Frantz

Aurélien

de Louis Aragon

Quatrième titre d'un cycle romanesque intitulé *Le Monde réel*, *Aurélien* puise sa source dans cette génération de malchanceux qui connaîtront deux guerres. L'écrivain situe son livre durant l'hiver 1921-1922 et décrit un amour impossible. Impossible parce que le héros, marqué par ce qu'il a vécu, n'arrive pas à reprendre pied dans la vie. Désenchanté, oisif, il enchaîne les liaisons sans conséquences jusqu'à ce qu'il rencontre Bérénice, une jeune provinciale pleine de fraîcheur et de naïveté. À peine ébauchée, leur idylle s'interrompt sur un malentendu. Lorsqu'ils se reverront dix-huit ans plus tard, en juin 1940, leurs chemins se seront éloignés : Aurélien a baissé les bras devant l'invasion allemande, alors que Bérénice, qui a recueilli des républicains espagnols, résiste plus que jamais. Ils auront tout juste le temps de s'expliquer et de constater que dans cet amour, ils se sont fourvoyés, avant que Bérénice ne soit victime d'une balle perdue.

Louis Aragon naît en octobre 1897. Il est l'enfant naturel de Marguerite Toucas-Massillon et de Louis Andrieux, un ami de Clemenceau, mais il n'apprendra la vérité sur sa naissance qu'à la veille de sa mobilisation, en 1917. Avec ses amis Philippe Soupault et André Breton, il fonde une revue surréaliste. En 1923, il tombe très amoureux de Denise Levy, qui servira de modèle à Bérénice. Puis trois ans plus tard il rencontre la millionnaire américaine Nancy Cunard, ce qui ne l'empêche pas d'entrer au parti communiste. Quitté par Nancy à Venise, il essaye de se suicider en se jetant dans le Grand Canal. Il ne coule pas, heureusement pour la littérature et pour Elsa Triolet, qu'il rencontre l'année suivante. Ils ne se quitteront plus. Il meurt le 24 décembre 1982, 12 ans après que *Les Yeux d'Elsa* se soient fermés pour toujours.

Aurélien

1 Aurélien revient de la guerre, il ne sait pas trop quoi faire de sa vie

2 Au front, il a rencontré Edmond, un arriviste

j'ai epousé Blanchette pour son argent et j'ai plein de maîtresses

3 Lors d'une soirée, Aurélien fait la connaissance de Bérénice, la cousine d'Edmond

4 Aurélien ne la voit même pas, mais Edmond fait tout pour qu'ils se rapprochent

5 Bérénice et Aurélien finissent par tomber amoureux

6 Blanchette, la femme d'Edmond, en apprenant la nouvelle fait une tentative de suicide

7 Le mari de Bérénice, ne la voyant pas revenir monte à Paris

8 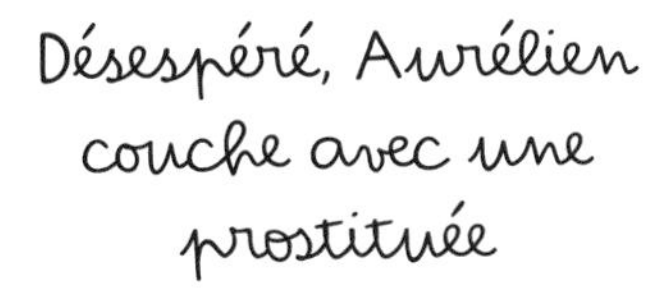
Désespéré, Aurélien couche avec une prostituée

9 Aurélien rentre chez lui, Bérénice l'attend endormie sur son lit, pour lui faire une surprise

10 Aurélien est désemparé, il ne fait que penser à elle. Il la croise des mois après, à Giverny, où elle vit avec un poète

11 En revoyant Aurélien, Bérénice se rend compte qu'elle n'aime pas le poète et retourne chez son mari

12 Épilogue, dix-sept ans plus tard : Aurélien est marié à Georgette

13 Mais c'est à nouveau la guerre, Aurélien se retrouve par hasard dans la ville de Bérénice. Il va lui rendre visite

14 Aurélien, en voyant Bérénice, se dit qu'il n'a jamais cessé de l'aimer

15 Ils partent en voiture et se disputent parce que Aurélien s'est résigné face aux Allemands

16 Bérénice est tuée d'une balle perdue

Les Raisins de la colère
de John Steinbeck

Ce roman se déroule aux États-Unis durant la Grande Dépression, dans les années 1930, et raconte la pauvreté, la faim, la soif, la violence. C'est un combat inégal entre les propriétaires offrant des salaires misérables et des gens si pauvres qu'ils sont obligés de les accepter. Et l'humanité dans tout ça ? Elle se cache parmi les moins nantis, parfois solidaires les uns des autres, mais pas toujours. Lorsqu'il se lance dans cette histoire, John Steinbeck bénéficie de l'expérience à la fois des travaux des champs, des petits boulots qu'il a pratiqués lorsqu'il n'arrivait pas à se faire publier, et des fins de mois qui durent trente jours. Il voulait être reporter, il sera un romancier qui enquête sur la vie. Le livre obtient le prix Pulitzer en 1940 avant d'être adapté au cinéma dans la foulée par John Ford, avec Henry Fonda dans le rôle de Tom. Récompenses à la clé de nouveau avec deux Oscars. Signalons encore pour ceux qui ne liront pas la version originale, que la traduction française signée Marcel Duhamel et M.-E. Coindreau n'a pas pris une ride.

John Steinbeck naît en Californie le 27 février 1902. Il étudie à Stanford, une prestigieuse université et publie son premier roman en 1929, *La Coupe d'or*, une histoire de pirates qui fait un flop. Puis, après une longue période de vaches maigres, il remporte son premier succès avec *Tortilla flat* en 1935. Il y aura ensuite *Des souris et des hommes* en 1937 et bien plus tard *À l'est d'Éden* qui sera adapté au cinéma (comme plusieurs romans de Steinbeck) avec l'inoubliable James Dean. Ses livres écrits après la guerre marchent moins bien, ce qui ne l'empêche pas de remporter le prix Nobel en 1962, six ans avant sa mort, à New York.

Les Raisins de la colère

1 En Oklahoma, les banques chassent les anciens propriétaires terriens

2 La famille Joad décide de partir en Californie

3 Ils mettent les vêtements et les meubles dans un camion et s'en vont

Noah, Al, Rosasharn, Connie,
enceinte de
Ruthie, Winfield, John, Casy

4 Tom aussi monte dans le camion

5

La route 66 est
un calvaire :
ils crèvent, le moteur
chauffe...

6

Ils croisent des gens
qui reviennent
de Californie

7

Le grand-père et
la grand-mère meurent
épuisés par le voyage

8

Les autres arrivent
en Californie

9 Les Californiens ne veulent pas d'eux, ils ne trouvent pas de travail

10 Ils repartent et trouvent une ferme qui emploie des hommes pour cueillir des pêches

Comme vous êtes beaucoup, on baisse les salaires...!

11 Il y a des syndicalistes, « les rouges », qui se mettent en grève, ça provoque des bagarres

12 La famille est obligée de repartir. Ils arrivent dans un camp où on ramasse le coton

* surnom péjoratif des habitants de l'Oklahoma

13 Ils vivent dans un wagon

14 Rosasharn perd son bébé, tout le monde est désepéré

mon bébé, mon bébé...

15 Il pleut des cordes, le wagon est inondé, ils se réfugient dans une grange

16 Rosasharn nourrit l'homme mourant

L'Étrange cas du Dr Jekyll et de Mr Hyde de Robert Louis Stevenson

Lorsque Robert Louis Stevenson était petit, sa « nanny » lui racontait d'horribles histoires de cambrioleurs et d'assassins. Résultat quelques années plus tard : cet effrayant récit surgi d'une nuit agitée, peuplée de cauchemars. Il écrit une première version en quelques jours, mais la détruit : la différence entre le bon Jekyll et l'abominable Hyde ne serait pas suffisamment marquée. Il se remet au travail et publie le texte que nous connaissons en 1885. Mélange d'intrigue policière, de littérature fantastique et de conte philosophique, *L'Étrange cas du Dr Jekyll et de Mr Hyde* se déroule durant la très corsetée époque victorienne, dans un brouillard qui ne se lève jamais, renforçant ainsi l'aspect terrifiant de ce livre, qui remporte un succès immédiat avec plus de 40 000 exemplaires vendus en six mois, des traductions et des adaptations théâtrales. Il va aussi beaucoup inspirer le cinéma avec sept versions muettes et quelques autres parlantes dont la plus hollywoodienne signée Victor Fleming en 1941 avec Spencer Tracy, Ingrid Bergman et Lana Turner.

Robert Louis Stevenson naît à Edimbourg le 13 novembre 1850. Il suit des études d'ingénieur sans grande conviction, bifurque vers le droit sans plus d'enthousiasme. C'est en France qu'il rencontre Fanny Osbourne, une peintre américaine de dix ans son aînée, mère de deux enfants. *Shocking !* Après le divorce de Fanny, tous deux s'installent en Écosse, où il écrit *L'Île au trésor*, devenu un classique. C'est à peu près au moment de la parution de *Jekyll* qu'il rencontre Henry James. De leur amitié, il nous reste une merveilleuse correspondance à lire absolument. Stevenson meurt d'une congestion pulmonaire le 3 décembre 1894 à Vailima, sur les îles Samoa.

L'Étrange cas du Dr Jekyll et de Mr Hyde

1 Enfield raconte à son ami Utterson une scène à laquelle il a assisté : une petite fille bouscule un nain

2 Le nain entre dans une véritable fureur

3 Heureusement, des gens interviennent, et le nain donne de l'argent à la fillette

4 Il s'appelle Edward Hyde et il a la clé de l'appartement du docteur Jekyll

5 Utterson apprend que dans son testament, le docteur Jekyll lègue toute sa fortune à Hyde

6 Un an plus tard, un vieil homme se fait assassiner, c'est Hyde qui l'a tabassé

7 Utterson se rend chez Jekyll pensant qu'il saurait où se trouve Hyde. Mais il est introuvable

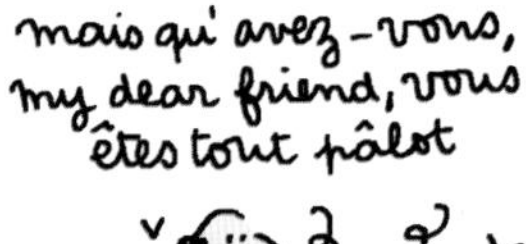

8 Utterson va dîner régulièrement chez Jekyll avec un autre ami, Lanyon

9 Le docteur Lanyon tombe très malade, avant de mourir il envoie une lettre à Utterson

10 Jekyll refuse toute visite, mais un soir son domestique affolé va chercher Utterson

11 Ils enfoncent la porte, et trouvent Hyde mort, il porte les vêtements de Jekyll

12 Jekyll, dans son nouveau testament, lègue toute sa fortune à son ami Utterson

13 Une fois rentré chez lui, Utterson ouvre la lettre de Lanyon

14 Jekyll a aussi écrit une confession où il explique tout

chaque homme est double

BON et Mauvais

15 Il a avalé une potion où il pouvait être à la fois le gentil docteur Jekyll et l'affreux monsieur Hyde

16 Mais peu à peu ça a buggé, il se transformait sans utiliser la potion et n'arrivait plus à redevenir Jekyll...

Vingt mille lieues sous les mers
de Jules Verne

Le 25 juillet 1865, George Sand écrit à Jules Verne pour le remercier des livres qu'il lui a envoyés et conclut sa lettre ainsi : « J'espère que vous nous conduirez bientôt dans les profondeurs de la mer… » La correspondance avec son éditeur fournit de nombreux éléments sur la genèse de cette épopée sous-marine. Et éclaire certains passages un peu confus : le lecteur comprend entre les lignes que le capitaine a vécu une tragédie le poussant à rejeter le monde et à détester les hommes. À l'origine, l'histoire était plus précise : Némo était un grand seigneur polonais en lutte contre la Russie, sa raison de vivre était donc de se battre pour l'indépendance de son pays et de venger sa famille massacrée par l'occupant. L'éditeur refusa tout net cette version, de peur de perdre une grosse partie du lectorat russe. À sa parution, le roman est boudé par la critique, le divorce entre auteurs populaires et auteurs littéraires étant déjà consommé. À la fin du roman, on ne sait pas très bien ce qu'il advient du Nautilus, mais on le retrouvera plus tard dans *L'Île mystérieuse*.

Jules Verne naît le 8 février 1828 à Nantes. Après son bac, il part à Paris, où naît sa vocation littéraire et théâtrale. Il fait la connaissance d'Alexandre Dumas, rencontre des savants et des explorateurs : le premier lui présentera son futur éditeur, les seconds deviendront une source d'inspiration inépuisable. En 1863, il publie *Cinq semaines en ballon*, le premier succès d'une longue liste : *De la Terre à la Lune* (1865), *Vingt mille lieues sous les mers* (1869), *Le Tour du monde en quatre-vingts jours* (1873), *Michel Strogoff* (1876). Très prolifique, Jules Verne, en plus de ses nombreuses pièces de théâtre, signera 62 romans et 18 nouvelles. Il meurt du diabète le 24 mars 1905.

Vingt mille lieues sous les mers

1 Une rumeur court qu'un animal monstrueux sillonne les mers et attaque les bateaux

2 Une expédition est montée pour trouver ce monstre

3 Le bateau se cogne si violemment au monstre que cela fait tomber trois hommes à l'eau

4 Ils sont sur le point de se noyer quand ils réussissent à s'accrocher à une coque en métal

5 La coque s'ouvre, deux hommes les font entrer dans un sous-marin (le fameux monstre)

6 Le capitaine Némo les accueille et les prévient que le sous-marin doit rester secret

7 C'est un magnifique navire, très confortable

8 Némo emmène le chercheur en promenade sous l'eau

9 Ils se font attaquer par une pieuvre géante

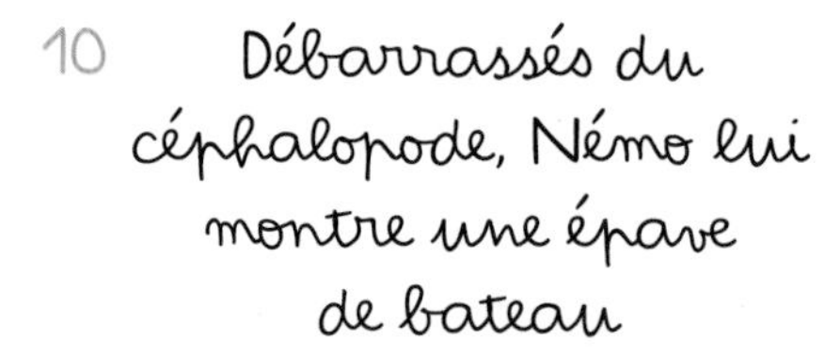

10 Débarrassés du céphalopode, Némo lui montre une épave de bateau

11 Némo s'arrête quelques jours sur une île où ils se font attaquer par des sauvages

12 Puis, il les emmène dans un parc à huîtres

13 Arrivés au pôle Sud, ils sont bloqués par la banquise, et une fois libérés, ils se cognent à un iceberg

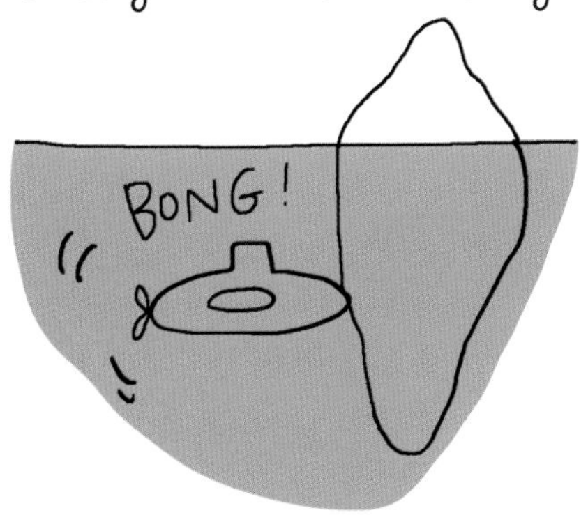

14 Ils sont ensuite attaqués par un navire que Némo coule

15 Les trois hommes profitent d'une tempête pour s'enfuir

16 Avant de s'échapper, le chercheur aperçoit Némo, à genoux, pleurant devant une photo

Vipère au poing
de Hervé Bazin

Cette terrible histoire l'est d'autant plus lorsque l'on sait qu'Hervé Bazin a puisé dans sa propre enfance pour l'écrire. Folcoche, contraction de folle et cochonne, est le surnom que trois garçons donnent à leur mère. L'heure n'est pas à la tendresse. Lorsqu'il publie ce premier roman en 1948, il remporte un succès immédiat. S'il reconnaît s'être inspiré de sa famille, il se défend en revanche que son héroïne soit la copie conforme de sa mère. Les deux femmes cependant, la vraie et la fictive, partagent le même prénom, Paule. Son roman sera le premier d'une trilogie. Il racontera la suite des aventures de Brasse-Bouillon (surnom du narrateur) et de ses rapports calamiteux avec Folcoche dans *La Mort du petit cheval*, puis dans *Cri de la chouette*. *Vipère au poing* sera traduit dans une quarantaine de langues et étudié à l'école, fera l'objet de deux adaptations télévisées en 1971 avec une inoubliable Alice Sapritch (j'en fais encore des cauchemars !) et en 2004 avec Catherine Frot. Sélectionné pour le prix Goncourt (qu'il n'obtiendra pas), il ne sera en tout cas pas soutenu par Colette qui, choquée, aurait proclamé : « La fille de Sido ne peut pas donner sa voix au fils de Folcoche. »

Jean-Pierre Hervé-Bazin naît le 17 avril 1911. Comme dans le livre, il a un père docteur en droit, une mère fille de sénateur. À 20 ans, il rompt avec sa famille, déménage à Paris et commence à écrire de la poésie. Lorsqu'il soumet son premier roman à Bernard Grasset, celui-ci l'accepte et lui fait raccourcir son nom dans la foulée. Il entre à l'Académie Goncourt en 1958 et en devient président en 1973. Côté famille, les choses sont plus compliquées : père de sept enfants, il enchaîne quatre mariages… et un enterrement (le sien), en février 1996.

Vipère au poing

1 Deux jeunes garçons sont élevés par leur grand-mère

2 Leurs parents et leur petit frère, Marcel, habitent en Chine

3 BB est un garçon plein de colère

4 La grand-mère meurt, les parents sont obligés de rentrer pour s'occuper d'eux

5 Le père, Jean Rozeau, est docteur en droit, il est passionné par les mouches

6 Il a épousé Paule pour son argent

SUPRA MOCHE

SUPRA MÉCHANTE

7 BB et Chiffe vont chercher leurs parents à la gare

8 Elle les oblige à se lever à 5 h du matin, pour qu'ils aillent à la messe

9 À table, ils doivent parler anglais

10

11 Les deux frères détestent tellement leur mère qu'ils l'appellent Folcoche

12 Elle leur interdit de dépasser un certain périmètre dans le parc

13 Le père est lâche,
il laisse
faire sa femme

bonjour
toi !

bzz

14 Les parents font une
fête, pour ne pas à
avoir à acheter trois
costumes pour ses fils,
Folcoche a une idée

un seul costume
pour les 3 ...

vous viendrez,
chacun à votre
tour, une heure...

15 Heureusement,
elle tombe malade,
elle est absente
des mois

16 À son retour,
ils essayent
de l'empoisonner

17 BB couche avec une voisine

18 Folcoche comprend qu'elle n'a plus de prise sur lui

19 Elle a l'idée de cacher son portefeuille dans la chambre de BB

20 Mais BB déjoue le piège

21 Il va rendre son portefeuille à Folcoche

22 et lui propose un marché

23 Ils sont enfin débarrassés de leur mère, mais BB sera marqué à vie

24 Il fait le vide autour de lui, comme s'il se promenait avec une vipère au poing

Antigone
de Jean Anouilh

Fruit de l'union incestueuse entre Œdipe et Jocaste (cette dernière étant aussi la mère d'Œdipe), personnage récurrent de la littérature, Antigone a traversé les millénaires en séduisant différents auteurs qui se sont passionnés pour sa tragique destinée, tout en y apportant leur touche.
Il semblerait qu'elle apparaisse dans des épopées grecques malheureusement perdues, puis chez Eschyle, Sophocle, Euripide, Racine, Bertolt Brecht, Jean Cocteau, Marguerite Yourcenar et enfin Jean Anouilh. Celui-ci affirme avoir réécrit cette tragédie qu'il connaissait par cœur, à la lueur de la guerre, avec la résistance symbolisée par Antigone sacrifiant sa vie pour ne pas céder au roi Créon. Ce texte sur le pouvoir et la révolte, mais aussi sur la trahison par les siens, a suscité de nombreux débats lors des représentations qui eurent lieu en 1944. L'assistance était composée d'Allemands et de Français, chacun y voyant ce qu'il avait envie d'y trouver. N'empêche, depuis sa parution, ce livre figure au programme scolaire et reste une des meilleures ventes de l'édition française.

Jean Anouilh naît à Bordeaux le 23 juin 1910. À 12 ans, il écrit ses premiers essais dramatiques, en vers s'il vous plaît. Après un bac de philo, il se lance dans des études de droit mais déclare forfait après un an. Il entre dans une agence de publicité où travaille Jacques Prévert, puis devient le secrétaire de Louis Jouvet qu'il déteste ! Mais il baigne dans ce milieu théâtral qu'il ne quittera plus. Sa première pièce, *L'Hermine*, est représentée en 1932 et remporte un joli succès. Il est lancé, malgré des hauts et des bas. Avec *Antigone* (interprétée par sa femme de l'époque, Monelle Valentin), il remporte un triomphe. Les pièces et les succès s'enchaînent durant les décennies suivantes, jusqu'à sa mort, le 3 octobre 1987.

Antigone

1 Antigone est la fille d'Oedipe et de Jocaste

2 Elle a une soeur, Ismène, et deux frères, Polynice et Étéocle, qui s'entretuent pour obtenir le pouvoir à la mort de leur père

3 Étéocle, le gentil, a eu le droit à des funérailles. Polynice, le vaurien, est laissé à l'air libre

4 C'est le frère d'Oedipe, Créon, qui l'a décidé

et je ferai tuer TOUTE personne qui essayera de me contredire !

5 C'est Créon qui règne désormais sur Thèbes

6 Même si Hémon danse toute une soirée avec Ismène, c'est avec Antigone qu'il veut se marier

je t'aime d'amour

7 Antigone ne supporte pas que son frère ne soit pas enterré

8 Un matin, elle se lève très tôt, et prend une petite pelle pour recouvrir son frère de sable

9 Elle est arrêtée par les gardes et conduite chez Créon

10 Il veut qu'elle renonce à son projet

tu agis comme si tu voulais mourir !

11 Il lui dit que ses frères étaient des sales types

12 Elle ne veut rien entendre

CHUT ! J'y retourne, je dois l'enterrer

13 Il est obligé de la condamner à mort

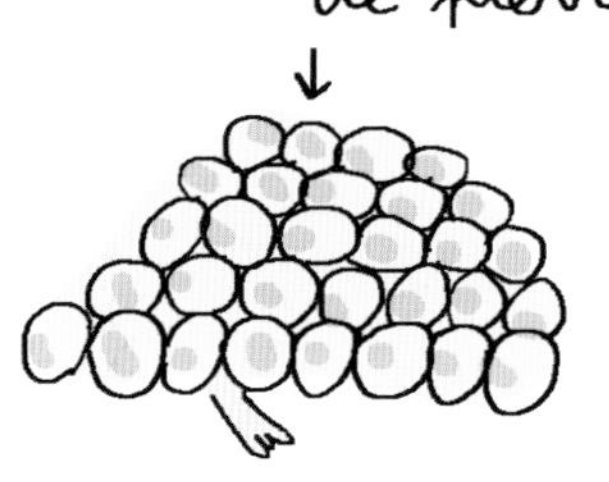

14 Hémon a essayé de demander la grâce d'Antigone à son père

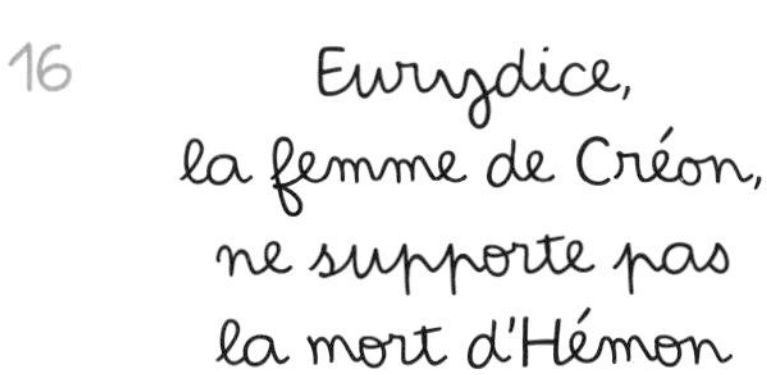

15 Hémon rejoint son amour dans la fosse et se suicide

16 Eurydice, la femme de Créon, ne supporte pas la mort d'Hémon

L'Aiguille creuse
de Maurice Leblanc

Lorsqu'il débute l'écriture de *L'Aiguille creuse*, Maurice Leblanc s'est déjà fait la main sur une jolie collection de nouvelles éditées dans le magazine *Je sais tout* qui a vu la naissance du fameux gentleman cambrioleur, sorte de Robin des bois des temps modernes. Mais s'il vole bien les riches, son butin file dans ses poches plutôt que dans celles des pauvres. Après les histoires courtes, c'est donc à un récit d'une tout autre envergure que s'attaque l'écrivain avec ce premier roman. Arsène Lupin connaît la cachette d'un fabuleux trésor, secret que les rois se sont confiés à travers les siècles. La dernière personne à en avoir eu connaissance est Marie-Antoinette, juste avant de perdre la tête. Cette histoire qui s'inspire de l'Histoire paraît en sept épisodes entre le 15 novembre 1908 et le 15 mai 1909. Depuis lors, le bel Arsène est devenu un mythe, un héros de télévision dont les plus de 50 ans se souviennent (inoubliable Georges Descrières), et même une chanson de Jacques Dutronc.

Maurice Leblanc naît à Rouen le 11 décembre 1864. Il rêve d'écriture et monte à Paris où il collabore à des journaux, tout en se liant d'amitié avec Maupassant. Il débute avec des romans psychologiques, mais un jour le directeur d'un magazine lui commande une nouvelle policière : ce sera *L'Arrestation d'Arsène Lupin*. Devant le succès qu'elle rencontre, il est encouragé à continuer, et neuf autres histoires suivront. Dorénavant, il n'aura plus le temps d'écrire autre chose, et lorsqu'il parvient à voler quelques instants à Arsène, ce qu'il publie sera éclipsé par le gentleman cambrioleur. Il essaye même de le tuer dans *813* mais se trouve contraint de le ressusciter. Maurice Leblanc, lui, meurt pour de bon le 6 novembre 1941 à Perpignan.

L'Aiguille creuse

1 Raymonde et sa cousine Suzanne sont réveillées par un bruit en pleine nuit

2 Un homme, dans le salon, les aveugle avec sa lampe de poche et s'enfuit

3 L'homme court dans le jardin en tenant quelque chose d'encombrant

4 Il est touché, s'écroule puis se relève et disparaît

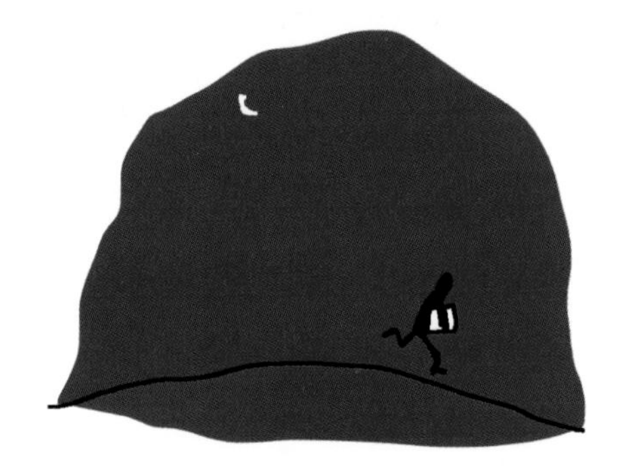

5 Raymonde et Suzanne trouvent évanoui dans le salon le père de Suzanne, le comte de Gesvres

6 Son secrétaire, Duval, est allongé à ses côtés, tué d'un coup de couteau

7 Arrive Ganimard, un policier, et Isidore Beautrelet, un lycéen qui se fait passer pour un journaliste

8 Le voleur, qui s'appelle Arsène Lupin, a volé quatre Rubens qu'il a remplacés par des copies

9 Duval était le complice d'Arsène Lupin, il a été tué par le comte

10 Raymonde est enlevée, on pense que c'est une complice de Lupin

Raymonde a disparu

c'est fâcheux

11 On retrouve dans la propriété, deux cadavres méconnaissables

12 On découvre aussi dans le parc un message codé

13 Isidore raconte régulièrement l'avancée de l'enquête, dans les journaux

14 Arsène Lupin, qui a survécu, raconte à Isidore que c'étaient deux inconnus qu'ils ont retrouvés dans la propriété

15 Mais Isidore raconte tout dans la presse

16 À la parution de l'article, Lupin enlève le père d'Isidore

17 Isidore, après des semaines de recherche, retrouve enfin son père et Raymonde

18 Le propiétaire du château, Louis Valméras, tombe amoureux de Raymonde

19 Louis Valméras et Raymonde se marient

20 Isidore retrouve un petit traité qui parle de l'aiguille creuse comme dans le message secret où, dans le temps, on cachait des trésors

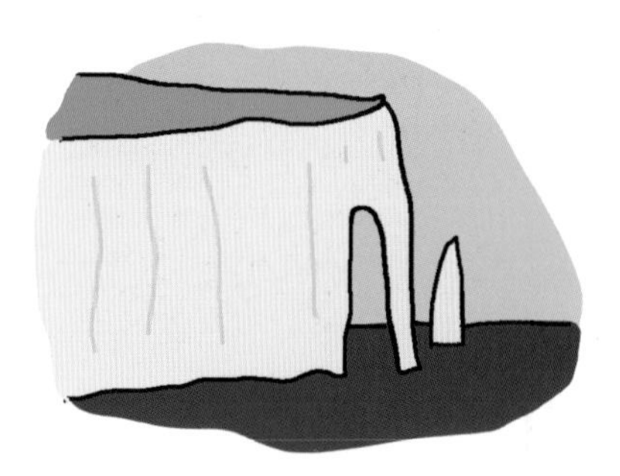

21 Aujourd'hui c'est Lupin qui y cache les siens

22 Isidore cherche partout où peut bien être cet endroit

23 Il finit par trouver une grotte derrière un petit fort

24 Isidore emprunte un passage secret et arrive dans une salle magnifique

25 Louis Valméras arrive, c'est en fait Arsène Lupin, qui s'était déguisé, suivi par sa femme Raymonde

26 Les murs sont recouverts de tableaux de maîtres

27 Ganimard et Herlock Sholmès, un policier anglais, se rapprochent

28 Lupin et Raymonde doivent abandonner cette somptueuse cachette

29 Quand ils remontent de la plage, ils tombent sur la police

30 Le policier anglais et Lupin sortent leurs armes

31 Raymonde s'interpose mais elle est tuée

32

Crime et châtiment
de Fiodor Dostoïevski

Lorsqu'il se lance dans *Crime et châtiment*, Dostoïevski a déjà écrit un premier livre, *Les Pauvres Gens*, qui fut très bien accueilli. Mais depuis, il a déçu ses admirateurs et il est surtout passé par la case bagne en Sibérie, ce qui change son homme. Là-bas, il a découvert le peuple. Le point de départ de *Crime et châtiment* sera le procès d'un homme de 27 ans, accusé d'avoir assassiné deux femmes à la hache. Dostoïevski s'est toujours intéressé à la violence, à la pauvreté. « Le récit que j'écris actuellement sera peut-être le meilleur de tout ce que j'ai écrit, si on me laisse le temps de l'achever », déclare-t-il à propos de *Crime et châtiment*. Le « on » étant les créanciers qui lui courent après (c'est un fieffé joueur)... Ce roman mêle deux projets : celui d'un homme tuant une vieille usurière et n'en éprouvant aucun remords ; et une autre intrigue qui aurait dû s'intituler « Les Pochards » devenue l'histoire parallèle de la famille Marmeladov. Le livre paraît d'abord en feuilleton, puis dans son intégralité en 1867.

Fiodor Dostoïevski naît à Moscou le 30 octobre 1821. La famille déménage à Saint-Petersbourg où le père, un triste sire, est médecin. Ce dernier ne maltraite pas que ses fils, mais aussi ses paysans, qui finissent par l'assassiner en 1839. En 1849, Dostoïevski est arrêté : le tsar Nicolas Ier le soupçonne de comploter contre lui. D'abord condamné à mort, il est finalement gracié avant d'être expédié en Sibérie. Il souffre d'épilepsie, ce qui l'handicape mais ne l'empêche ni de jouer et perdre son argent, ni d'écrire. *Crime et châtiment* est le roman qui va le rendre célèbre, puis il y aura *L'Idiot* et *Les Frères Karamazov* qu'il considère comme son chef-d'œuvre. Il meurt d'une hémorragie en 1881.

Crime et châtiment

1 Raskolnikov est pauvre, il va vendre les derniers objets de valeur qu'il possède

2 Au bistrot, il fait la connaissance de Marmeladov, qui vole sa femme pour boire

3 Sa mère lui écrit que sa soeur se marie pour l'argent

4 Il se dit qu'il va tuer la vieille usurière

5 Il la tue à la hache et fait pareil avec la sœur de l'usurière qui arrive à ce moment là

6 Paniqué, il ne vole que deux, trois bricoles qui traînent et rentre chez lui où il délire pendant des jours

7 Il est convoqué au commissariat parce qu'il n'a pas payé son loyer, et de peur, il s'évanouit

8 Devenu parano, il jette les objets qu'il a volés près d'un hangar

9 Il continue de délirer, veut se suicider, et retourne chez l'usurière

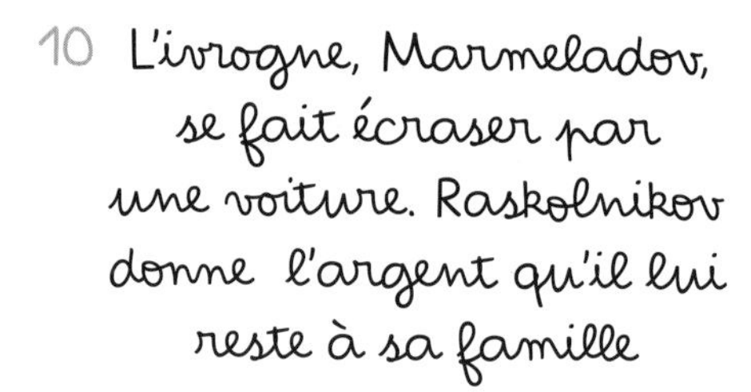

10 L'ivrogne, Marmeladov, se fait écraser par une voiture. Raskolnikov donne l'argent qu'il lui reste à sa famille

pour payer les obsèques...

merci

← Sonia

11 Il se rapproche de Sonia et lui avoue le double meurtre

12 Un juge d'instruction le soupçonne des meurtres depuis qu'il s'est évanoui au commissariat

et aussi grâce au témoignage de la concierge de l'usurière...

13 Raskolnikov ne supporte plus la pression et va tout avouer

14 Il est condamné aux travaux forcés en Sibérie, pour seulement huit ans

15 Sonia le suit en Sibérie, ils s'aiment, il n'a aucun remords pour le double meurtre

16 Mais il finit par réaliser l'horreur du crime qu'il a commis

Ne tirez pas sur l'oiseau moqueur de Harper Lee

Plus de trente millions d'exemplaires vendus dans le monde pour *Ne tirez pas sur l'oiseau moqueur*, qui est un véritable plaidoyer contre le racisme destiné aux lecteurs de 7 à 77 ans. Jean Louise, surnommée Scout, est toujours prête à se bagarrer lorsque la cause le justifie (et à vrai dire même lorsque rien ne la justifie). L'héroïne est inspirée de ce qu'était la jeune Harper Lee, de même que Dill, son compagnon de jeu, est le double de Truman Capote dont elle restera proche toute sa vie. L'intrigue se déroule dans les années 1930 au cœur de l'Alabama, et raconte le procès contre un homme noir accusé à tort d'avoir violé une femme blanche. En écrivant sur ces trois années de son enfance, Harper Lee voulait être « la Jane Austen de l'Alabama ». Le rythme, l'histoire, le suspense, les personnages ont concouru à l'envol puis au succès de ce moqueur qui reproduit le chant des autres oiseaux : il remporta le prix Pulitzer en 1961, avant d'être adapté au cinéma par Robert Mulligan avec Gregory Peck, et de remporter trois Oscars. Soixante ans plus tard, il n'a pas perdu une plume.

Nelle Harper Lee est née le 28 avril 1926 à Monroeville. Elle part s'installer à New York pour devenir écrivain. Elle montre une de ses nouvelles à un agent qui lui conseille de la développer en roman. C'est à la même époque qu'elle suit son ami d'enfance, Truman Capote, dans l'enquête qu'il mène sur le meurtre d'une famille de fermiers, le futur *De sang froid*. Parallèlement, la jeune femme travaille à *Ne tirez pas sur l'oiseau moqueur*, dont Capote, jamais avare de vacheries, prétendra avoir écrit une grande partie. Harper Lee sera la femme d'un seul livre, l'ouvrage exhumé en 2015, *Va et poste une sentinelle* n'étant qu'une pâle copie de son chef-d'œuvre. Harper Lee meurt le 19 février 2016.

Ne tirez pas sur l'oiseau moqueur

1 À Maycomb,
en Alabama,
vivent les Finch

2 Avec leur ami Dill,
ils espionnent un voisin
qui leur fait peur

3 Atticus, qui s'occupe
des cas désespérés,
va défendre un Noir,
Tom Robinson

4 La famille Finch
devient le centre
d'attraction et
de haine de la ville

5 La veille du procès, Atticus s'assoit devant la prison où se trouve Tom

6 Les enfants l'ont suivi car ils sentent qu'il va y avoir du grabuge

regardez tous ces gens agressifs devant la prison

7 Scout se place devant la horde de gens menaçants pour leur parler

8 Le speech de Scout calme les gens qui rentrent chez eux

super discours, merci ma chérie

9 Toute la ville assiste au procès, les Blancs au rez-de-chaussée, les Noirs à l'étage

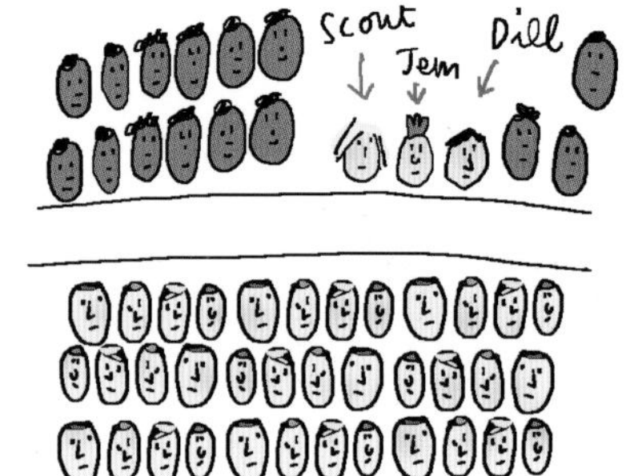

10 Marzella raconte comment Tom l'a attaquée et comment son père est venu à sa rescousse

confuse

elle s'embrouille dans sa déclaration

11 Tom explique qu'elle lui a demandé de réparer sa porte et qu'elle a cherché à l'enlacer

12 Marzella, gênée d'avoir dragué un Noir, l'accuse

13 Condamné,
Tom essaye de s'enfuir
et il est tué

14 En rentrant du spectacle de fin d'année, Scout et son frère se font agresser

15 C'est le voisin qui leur faisait peur qui les sauve en tuant leur agresseur

16 Le shérif retrouve sur les lieux de l'attaque le père de Mayella, poignardé

Thérèse Desqueyroux
de François Mauriac

Sympathique ou méprisante, jolie ou laide, coupable ou victime ?
Thérèse Desqueyroux est tout cela à la fois. Le roman de François Mauriac, paru en 1927, raconte la pesanteur de la bourgeoisie bordelaise et s'inspire d'un fait divers : Henriette Canaby fut déclarée innocente de la tentative d'empoisonnement de son mari, ce dernier témoignant en sa faveur pour ne pas entacher la réputation de la famille. L'histoire de Thérèse, mal mariée, mal aimée, remporte un succès immédiat. Elle fascine les lecteurs comme elle séduit l'écrivain qui ne parvient pas à l'abandonner. En 1933, il renoue avec son personnage dans *Thérèse chez le docteur*, où elle se rend chez un psychiatre en pleine nuit pour lui confesser deux liaisons. Dans *Thérèse à l'hôtel*, elle est persuadée qu'un jeune homme de 20 ans tombe amoureux d'elle. Dans le troisième texte enfin, *La Fin de la nuit*, elle séduit le fiancé de sa fille. Oui, définitivement, la vie sentimentale de Thérèse Desqueyroux est bien compliquée.

François Mauriac naît à Bordeaux le 11 octobre 1885, dans une famille très catholique. Passionné de lecture, il publie un premier recueil de poèmes en 1909, *Les Mains jointes*. En 1922, *Le Baiser au lépreux* lui apporte la notoriété et *Le Désert de l'amour*, en 1925, le Grand prix de l'Académie. Puis il enchaîne les succès : *Thérèse Desqueyroux*, *Le Nœud de vipères*, *Le Mystère Frontenac*, *Le Sagouin*, et son dernier récit autobiographique, *Un adolescent d'autrefois*. Il a aussi tenu un célèbre bloc-notes dans *L'Express* d'abord, puis dans *Le Figaro*. Côté honneurs, il est entré en 1933 à l'Académie française et fut lauréat du prix Nobel en 1952. Il meurt en 1970, à Paris.

Thérèse Desqueyroux

1 Thérèse, son père et un avocat sont devant le palais de justice

2 Elle se demande ce qu'elle va dire à son mari, Bernard

3 Flash-back : deux familles riches prévoient de marier leurs enfants depuis toujours

4 Thérèse épouse Bernard comme prévu, mais la nuit de noces comme le voyage sont un cauchemar

5 Bernard a une demi-soeur, Anne, meilleure amie de Thérèse

6 Thérèse est jalouse de cet amour

7 Thérèse va voir Jean et ensemble ils écrivent une lettre de rupture à Anne

8 Anne rentre de voyage et comprend la trahison de Thérèse

9 Thérèse accouche, elle n'éprouve rien pour l'enfant

10 Bernard est anémique, il prend de l'arsenic pour se soigner et se trompe dans le dosage

11 Cela donne une idée à Thérèse qui ne supporte plus son mari

12 Bernard est hospitalisé, le pharmacien montre les fausses ordonnances, Thérèse finit au tribunal

13 Fin du flash-back :
Elle rentre à la maison, ne s'excuse pas et reste cloîtrée dans sa chambre

14 On la fait sortir pour la présenter au futur mari d'Anne

15 Bernard la laisse sortir de sa chambre

16 Bernard l'accompagne à Paris, ils se quittent à une terrasse de café

Le Diable au corps
de Raymond Radiguet

Le narrateur du *Diable au corps* n'a pas de nom, mais dans le brouillon que Raymond Radiguet rédigea, il se prénomme François. Lorsqu'il tombe amoureux de Marthe, François a 15 ans, elle en a 18 et vient de se fiancer. Alors que le futur mari se trouve sur le front, les deux tourtereaux insouciants s'aiment au vu et au su de tout le monde. Le point de départ de cette histoire s'inspire d'une rencontre que fit Raymond Radiguet dans un train de banlieue : il avait 15 ans lui aussi, Alice en avait 24 et un époux au combat. Leur idylle dura un an et demi… Jean Cocteau, qui a lu le manuscrit, le propose à Bernard Grasset. Enthousiaste, celui-ci lance une grande campagne de publicité autour de ce prodige qui fête ses 17 ans au printemps 1923. C'est à la fois un succès et un scandale pour les anciens combattants. Scandale, il y en aura encore à deux reprises : en 1947, lors de l'adaptation cinématographique de Claude Autant-Lara (avec Gérard Philipe et Micheline Presle) puis à nouveau en 1986, à cause du film de Marco Bellocchio, *Diavolo in corpo*, et d'une certaine scène qui n'a rien à voir ni avec les anciens combattants, ni avec la littérature en général.

Raymond Radiguet, jeune homme précoce et pressé, naît le 18 juin 1903 à Paris. Passionné de littérature, il interrompt ses études secondaires pour devenir journaliste. À 15 ans, son premier conte dans *Le Canard enchaîné*, se fait remarquer par Max Jacob et Jean Cocteau. Totalement intégré dans le milieu littéraire de l'époque, il écrit des poèmes, des essais, du théâtre. Après son premier roman, *Le Diable au corps*, il attaque le second, *Le Bal du comte d'Orgel*. Alors qu'une voyante lui avait prédit qu'il mourrait bientôt, il subit une attaque de typhoïde. Hospitalisé grâce à Coco Chanel qui paie son séjour en clinique, il meurt le 12 décembre 1923.

Le Diable au corps

1 François et sa mère vont voir les aquarelles d'une connaissance de la famille

2 Marthe plaît beaucoup à François

3 François part étudier à Paris, au lycée Henri IV

4 Ils se revoient par hasard un mois plus tard et partent se promener

5 Elle se marie et écrit à François

6 Ils se voient tous les jours

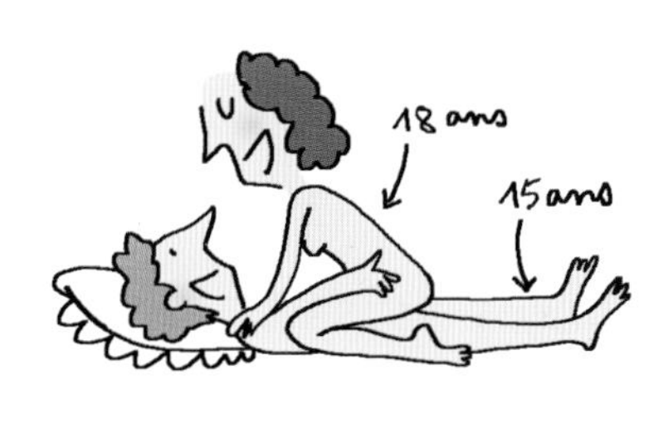

7 Ils ne se cachent pas et choquent tout le monde

8 Jacques, le mari, rentre pour onze jours

9 Il repart à la guerre meurtri par la froideur de sa femme

10 François dicte à Marthe des lettres tendres à envoyer à Jacques

11 Tout le monde est au courant de leur liaison

oui
oui
oui
BOM
BOM
la jeunesse!
ils remettent ça
quel lapin!

12 Marthe lui apprend qu'elle est enceinte de lui

13 Les parents de François le menacent pour qu'il mette fin à cette liaison

14 Marthe doit se reposer chez ses parents, ils ne peuvent plus se voir et il apprend qu'elle est morte

je veux qu'il s'appelle
François,
François
François...

15 Le mari, qui ne sait rien de cette liaison, va rendre visite à la famille de François

16

1984

de George Orwell

Surveillance 24 heures sur 24, destruction du langage pour donner naissance à une langue qui comporte un minimum de mots, pensée unique, interdiction de tous les plaisirs : comment survivre dans un monde sans mémoire, sans amour, sans justice ? S'inspirant des régimes totalitaires russe et nazi, Orwell estime que quelque chose comme *1984* pourrait survenir partout… S'il a d'abord intitulé son livre « Le dernier homme en Europe », il l'appellera finalement *1984*, clin d'œil à l'année où il a mis le point final à son texte, 1948. Lorsqu'il paraît, cet ouvrage remporte immédiatement un énorme succès. Gros succès encore en 1984 où tout le monde peut constater qu'heureusement ses sombres prédictions n'ont pas atteint Londres, où se déroule l'histoire et succès à nouveau en 2018 lorsque les éditions Gallimard en ont commandé une nouvelle traduction. Dystopie, satire, pamphlet, l'ultime roman de George Orwell reste surtout LA référence en matière de littérature d'anticipation.

Eric Arthur Blair (son vrai nom) naît le 25 juin 1903 au Bengale, dans une famille anglo-indienne. Il étudie à Eton, puis entre dans la police indienne impériale de Birmanie. De retour en Europe, il prend le pseudonyme d'Orwell (selon le nom d'une rivière chère à son cœur) et se met à écrire. En 1936, il participe à la guerre civile espagnole, et voit les communistes tenter de prendre le contrôle absolu de toutes les forces républicaines. Les convictions de ce socialiste sont ébranlées. Sa vision et sa peur du monde totalitaire apparaîtront d'abord dans *La Ferme des animaux* en 1945, puis quatre ans plus tard, dans *1984*, qu'il rédige juste avant de mourir de la tuberculose à Londres en 1950.

1984

1 Londres, capitale de l'Océania, est en guerre contre l'Eurasia

2 Les appartements sont surveillés, des caméras donnent des ordres

3 Winston travaille au ministère de la Vérité, il commence à tenir un journal

4 Il est obligé d'assister à la semaine de la Haine

5 Régulièrement, des gens sont arrêtés en pleine rue et on ne sait pas ce qu'ils deviennent

6 On pend les gens en public, on a peur des dénonciations

7 Personne n'a de temps libre et on n'est seul que pour dormir

8 La frustration sexuelle engendre la fièvre guerrière

9

Winston et Julia se voient en cachette dans une chambre qu'ils louent chez un vieux monsieur

10

Ils se confient à leur ami O'Brien

vous avez bien raison, je déteste ce parti

11

Le vieux monsieur et O'Brien sont des traîtres : Julia et Winston sont arrêtés

12

Winston a perdu 25 kilos et plusieurs dents, on l'amène à la chambre 101

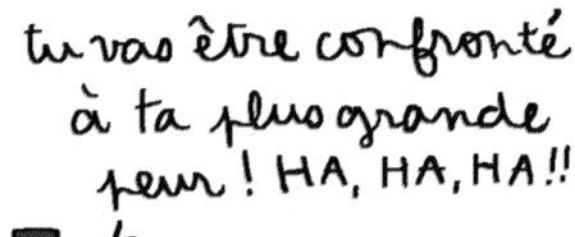

13 Au moment où les geôliers vont ouvrir les cages, il trahit Julia

14 Des mois passent, il est libéré et croise Julia : ils n'éprouvent plus rien l'un pour l'autre

je t'ai trahie

moi aussi

15 Le parti a gagné

16 Winston meurt d'une balle dans la nuque

La Chèvre de monsieur Seguin

d'Alphonse Daudet

Nostalgique du Sud de son enfance, Alphonse Daudet imagine un narrateur, propriétaire d'un moulin d'où il écrit à ses amis. *La Chèvre de monsieur Seguin* est la cinquième d'une trentaine de *Lettres de mon moulin*, adressée à un jeune Gringoire qui n'existe pas dans la vraie vie mais dans une autre fiction, puisqu'il est le poète imaginé par Victor Hugo dans *Notre-Dame de Paris*. Roman auquel Alphonse Daudet fait une référence supplémentaire en comparant Blanchette au cabri d'Esmeralda. Après s'être essayé à la veine humoristique avec *Lettres sur Paris et lettres du village*, Alphonse Daudet participe à l'inauguration d'un nouveau journal, *L'Événement*, en proposant des contes. Si *La Chèvre de monsieur Seguin* est son histoire la plus célèbre, celle qu'on lit aux enfants le soir pour les effrayer et les encourager à ne pas quitter leur enclos, on relèvera aussi d'autres titres fameux comme *Tartarin de Tarascon*, *Le Curé de Cucugnan*, *L'Arlésienne*, *La Mule du Pape*. Chacun de ces textes qui feront sa célébrité trouve sa source dans cette Provence qui lui est si chère.

Alphonse Daudet naît le 13 mai 1840 à Nîmes. Sa famille, qui possède une entreprise de soieries, ruinée, déménage à Lyon en 1849. Il part rejoindre son frère à Paris en 1857 et collabore à divers journaux, tout en séjournant régulièrement dans le Midi. Il se lie d'amitié avec Mistral, Flaubert, Zola et les frères Goncourt. Les *Lettres de mon moulin* paraissent en 1866, juste avant qu'il n'épouse Julie Allard, qui collaborera avec lui et sera la mère de ses deux fils. Puis il publie *Le Petit Chose* en 1868, et *Contes du lundi* en 1873. Les années suivantes, il adapte pour le théâtre ses principaux romans et meurt en 1897 à Paris.

La Chèvre de monsieur Seguin

1

Monsieur Seguin
habite au pied de
la montagne

2

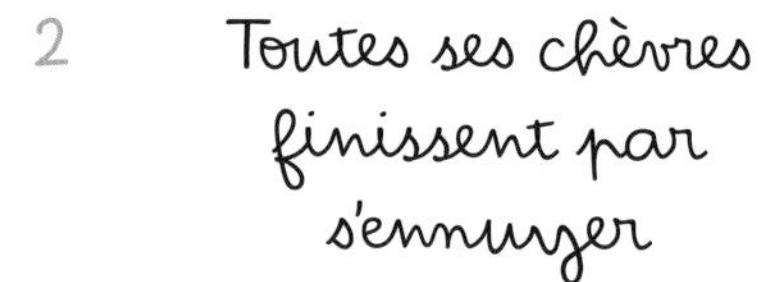

Toutes ses chèvres
finissent par
s'ennuyer

3

Elles tirent sur
la corde à laquelle
elles sont attachées

4

et s'enfuient dans la
montagne où elles
se font dévorer
par le loup

5 Monsieur Seguin a déjà perdu six chèvres

6 Il en achète une toute jeune, Blanchette

7 Elle est mignonne, elle a les yeux doux et de longs poils blancs

8 Elle regarde la montagne et se dit : comme on doit être bien là-haut

9 Elle déprime et se confie à monsieur Seguin

10 Affolé à l'idée de perdre à nouveau une chèvre, il cherche à comprendre

11 Il la prévient que les autres chèvres ont voulu elles aussi se rouler dans la bruyère

12 Pour ne pas qu'elle s'enfuie, il l'enferme dans un enclos

13 Mais Blanchette saute
par-dessus la porte
et s'en va courir
dans la montagne

14 Elle est si heureuse,
entourée de genêts et
de châtaigniers

je suis bien mieux
ici qu'attachée
à mon piquet

15 Alors que le soir tombe,
elle entend monsieur
Seguin qui l'appelle

16 et aussi le cri du loup,
et elle se dit qu'elle
devrait rentrer

17 Elle se retourne et dans un taillis, elle discerne les deux oreilles pointues d'un loup

18 Il est énorme, immobile, il la regarde en pensant au repas délicieux qu'il va faire

19 Il se met à rire méchamment

20 Blanchette pense qu'il faut peut-être qu'elle se laisse manger

21 Mais elle se ravise
et baisse la tête,
les cornes en avant

22 Elle sait bien qu'elle
ne peut pas gagner

23 Entre deux attaques,
elle cueille en hâte
un brin d'herbe

24 Elle n'attend que
le jour pour mourir

La Peste
d'Albert Camus

Lorsque *La Peste* paraît en juin 1947, ses ventes s'envolent très vite
et Albert Camus s'en amuse : « Elle fait plus de victimes que je croyais ! »
À l'époque, le roman se lit comme celui de la guerre qui vient de se terminer.
Dès l'annonce de l'épidémie, certaines personnes prennent la route
pour s'enfuir, pendant que d'autres résistent.
Aujourd'hui, avec l'expérience de confinement que nous avons vécue,
la réalité prend le pas sur la métaphore. Au départ, les autorités ont pris
l'épidémie à la légère. Le docteur Rieux manque de vaccins.
Les hôpitaux sont surchargés. Les pauvres, entassés les uns sur les autres,
sont les plus touchés. Les enterrements sont organisés à la sauvette.
Albert Camus décrit des héros du quotidien, ces gens qui risquent leur vie
pour en sauver d'autres. Et quand enfin le fléau semble s'éloigner peu à peu,
le docteur Rieux ne se sent qu'à moitié soulagé, car il sait que
« le bacille de la peste ne meurt et ne disparaît jamais »…

Albert Camus naît en Algérie le 7 novembre 1913. À l'école, il est repéré par un instituteur, Louis Germain, puis plus tard, au lycée, par Jean Grenier, son professeur de philosophie. Il se destine à l'enseignement, mais la tuberculose l'oblige à renoncer. Il se lance dans l'écriture avec un premier recueil de nouvelles et d'essais en 1938, *L'Envers et l'Endroit*. En 1940, il travaille comme journaliste à Paris, entre dans la Résistance et épouse Francine Faure, une mathématicienne avec laquelle il aura des jumeaux, Catherine et Jean. En 1942, il publie *L'Étranger*, puis crée la revue *Combat* avec Pascal Pia. Les années suivantes seront fécondes avec *Caligula*, *La Peste*, *La Chute*, *Le Premier Homme*. En 1957, à 44 ans, il reçoit le prix Nobel. Il mourra trois ans plus tard, le 4 janvier 1960, dans un accident de voiture en compagnie son ami Michel Gallimard.

La Peste

1 Quand le docteur Rieux sort de son cabinet, à Oran, il découvre un rat mort

2 Il accompagne sa femme à la gare

3 Peu à peu une épidémie se propage dans la ville

4 Le concierge du docteur est l'un des premiers à tomber malade

5 C'est la peste :
la panique s'empare
de la ville

6 Les gens se dépêchent
de quitter Oran

7 Le gouvernement finit
par fermer la ville,
les navires ne
peuvent plus accoster

8 Les hôtels, les écoles sont
réquisitionnés pour
devenir des hôpitaux

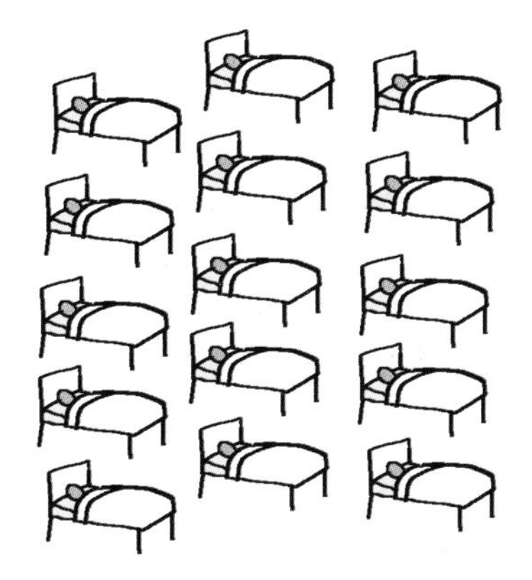

9 Les gens brûlent leur maison pour enrayer la pandémie

10 Les enterrements sont organisés sans délai et sans la famille

11 On entasse les cercueils et quand il y en a trop on les fait brûler hors de la ville

12 Toute la vie économique est désorganisée

13 La maladie se poursuit pendant des mois, mais peu à peu des malades s'en sortent

14 Les gens ont à nouveau le droit de sortir

15 Cottard est désespéré que ce soit la fin de l'épidémie

16 Le docteur Rieux monte sur sa terrasse pour regarder la ville, inquiet

Cent ans de solitude de Gabriel García Márquez

Avis de tempête romanesque : la traversée de *Cent ans de solitude* se révèle fort agitée et nécessite une attention particulière si vous voulez suivre la famille Buendia à travers sept générations de personnes qui ne se cassent pas la tête pour choisir les prénoms de leurs enfants. Est-ce que cet Ameliano-là est celui qui est amoureux de sa sœur ou celui qui est dingue de sa tante ? Et Amaranta est-elle celle qui flashe sur son neveu ou cette autre Amaranta qui drague également son neveu ? L'inceste est le fil rouge de ce récit, il pousse Ursula et José Arcadio, cousins germains, à fuir leur ville, puis condamne la famille à vivre cent ans de solitude jusqu'à son extinction. Ce roman symbolise le « réalisme magique » : on raconte une histoire sur un fond politique, économique et social véridique, et on la pimente de fantômes, de résurrections et d'un prêtre lévitant chaque fois qu'il boit un chocolat chaud. Pour l'écrire, Gabriel García Márquez s'est inspiré des légendes que sa grand-mère lui racontait. À sa parution, ce fut immédiatement un succès, non seulement en Amérique du Sud, mais dans le monde entier, où une trentaine de millions d'exemplaires ont été vendus depuis 1967.

Gabriel García Márquez naît le 6 mars 1927 à Aracataca, un petit village colombien qui n'est pas sans ressembler à Macondo. Il devient journaliste et va être envoyé en Europe, où il travaillera plusieurs années. Il publie un premier récit en 1955 qui se passe déjà à Macondo, *Des feuilles dans la bourrasque*, mais c'est avec *Cent ans de solitude* qu'il connaît la gloire. Il écrit ensuite *Chronique d'une mort annoncée*, juste avant de remporter le prix Nobel en 1982, puis *L'Amour au temps du choléra* en 1985. Très engagé à gauche, il n'hésitera pas à reverser à plusieurs reprises ses droits d'auteur aux causes qu'il soutient. Il meurt à Mexico le 17 avril 2014.

Cent ans de solitude

1 José Arcadio Buendia et sa femme Ursula traversent la Sierra

2 Au milieu de la forêt, ils décident de s'installer

3 Ils ont peur d'avoir des enfants à queue de cochon

4 Ils ont deux fils et deux filles

5 Le village est envahi par la peste de l'insomnie

6 Heureusement, le gitan Melquiades trouve une potion pour les guérir

7 José Arcadio fils devient très baraqué de partout et il a une histoire avec Pilar

8 Ils ont un fils, Arcadio

9 José Arcadio fils finit par suivre une gitane et revient des années plus tard

10 Il se marie avec Rebecca

ma soeur adoptive

11 Son frère, Aureliano, est jaloux de lui et couche aussi avec Pilar. Ils ont un fils, Aureliano José

12 Aureliano est fou d'amour d'une enfant de 9 ans, Remedios

13 Il y a une guerre civile entre les libéraux et les conservateurs

14 Aureliano José est condamné à mort, son frère le sauve

15 Il se retire du monde guerrier

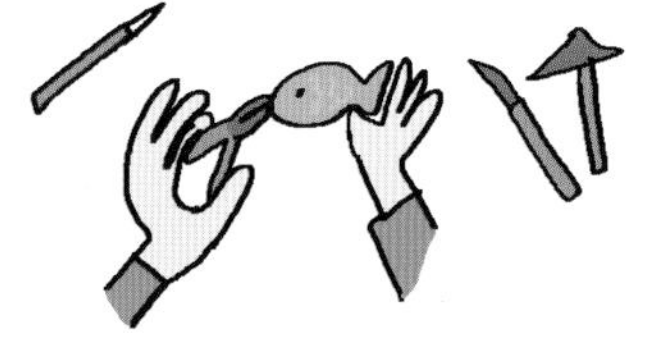

16 Le patriache, José Arcadio Buendia, perd la tête, il est attaché à un arbre

17 La fille du dictateur, Remedios la belle, est très convoitée

18 Son frère Aureliano Segundo se marie avec Fernanda

19 Avec Fernanda, ils ont trois enfants

20 Meme a un fils illégitime, Aureliano Babilonia, qu'elle cache

21 La soeur de Meme, Amaranta, tombe amoureuse de son neveu devenu grand

22 Ils ont un enfant, qui a une queue en tire-bouchon, ce qui est la terreur familiale

23 Pour avoir jeté des grévistes à la mer, la ville subit la pluie non stop

24 Ursula meurt à 115 ou 122 ans et la ville finit rasée et bannie de la mémoire des hommes

Orgueil et préjugés
de Jane Austen

« Aucune intrigue politique ou amoureuse n'était de taille à rivaliser avec la vie dans l'escalier d'une maison de campagne », écrivait Virginia Woolf à propos de Jane Austen. Il est vrai que sa passion du quotidien influencera des dizaines de générations de romancières anglaises. L'histoire se passe dans la campagne anglaise et, dans ce contexte pour l'époque, Elizabeth Bennet est une sacrée bonne femme, indépendante, et persuadée que le mariage n'est pas le seul destin pour une jeune fille de bonne famille. Son ouverture d'esprit sera récompensée puisqu'elle séduira sans le vouloir le plus beau parti entre tous, Mr Darcy. Ce livre a d'abord connu, en 1796, une version intitulée « Premières impressions » à destination exclusive de sa famille. Ce n'est qu'en 1813 que Jane Austen trouvera un éditeur pour un texte qu'elle aura alors complètement remanié. Publié anonymement, *Orgueil et préjugés* reste aujourd'hui encore son roman le plus populaire qui a inspiré des films, des séries télévisées et surtout d'autres auteurs, les pires comme les meilleurs, qui sont nombreux à lui avoir rendu hommage avec des histoires-clins d'œil.

Jane Austen naît le 16 décembre 1775 à Steventon, dans le Hampshire. Le père est clergyman et toute la famille est grande dévoreuse de romans. Et tout le monde écrit, également. Jane termine une première version de *Raison et sentiments*, mais elle ne trouve pas d'éditeur. Après une pause d'une dizaine d'années, elle se remet au travail. Ses frères ont quitté la maison, seules restent avec leurs parents sa sœur Cassandra et elle-même qui ne se marieront jamais. En 1811, elle publie de manière anonyme *Raison et sentiments*, puis deux ans plus tard *Orgueil et préjugés*. Il y aura encore *Mansfield Park*, *Emma*, et à titre posthume *Persuasion* et *Northanger Abbey*. Malade, elle meurt le 18 juillet 1817, à 41 ans.

Orgueil et préjugés

1 Mrs Bennet est très sotte, elle ne pense qu'à marier ses filles

2 Le couple a cinq filles en âge de se marier

3 La loi n'autorise pas les femmes à hériter

4 Un jeune homme célibataire, Mr Bingley, loue une magnifique demeure, à côté

5 Lors du bal du village, Mr Bingley est attiré par Jane

6 Il est accompagné par Mr Darcy, un homme très riche et beau

7 Jane, qui va voir souvent Mr Bingley, tombe malade là-bas et doit rester chez lui

8 Du coup, Elizabeth voit beaucoup ce Mr Darcy qui est aussi dans la maison

9 Le cousin, Mr Collins, vient visiter les Bennet pour se marier avec une des cinq soeurs

10 Mrs Bennet n'en revient pas que sa fille se permette de refuser

11 Le cousin épouse la meilleure amie d'Elizabeth qui elle, a bien compris l'intérêt

12 Elizabeth aime bien un soldat, Mr Wickham, fils de l'ancien régisseur de Mr Darcy

13 Mr Bingley et ses soeurs organisent un grand bal

14 Mr Darcy et les soeurs Bingley pensent que Jane n'est attirée que par l'argent

15 Ils rentrent à Londres

16 Elizabeth va rendre visite à sa meilleure amie et son cousin, Mr Collins

17 Par hasard, Darcy est dans une maison voisine, chez une amie

18 Elizabeth et Darcy se voient régulièrement

19 Elizabeth lui en veut d'avoir empêché le mariage de sa soeur avec Bingley

20 Vexé, Darcy lui envoie un lettre pour s'expliquer

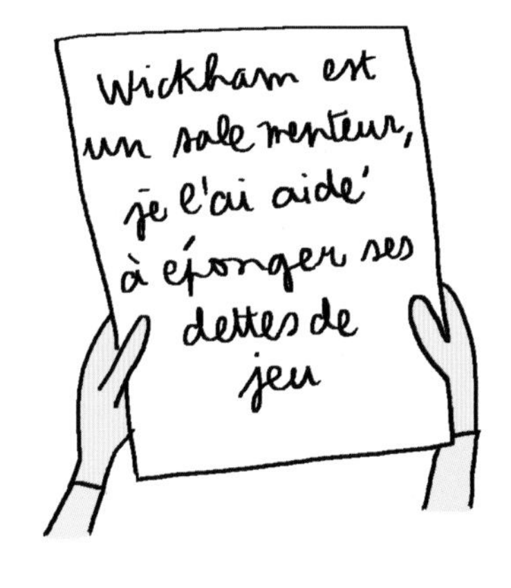

21 Elizabeth repart chez elle, et Darcy chez lui, à Londres

22 Elizabeth, quelques mois plus tard, part en vacances chez son oncle et sa tante

23 Elle veut bien visiter la propriété de Darcy qui est ouverte au public

24 Mais Darcy est arrivé un jour plus tôt

25 Elizabeth passe beaucoup de temps avec Darcy

26 Elle apprend que sa soeur Lydia s'est enfuie avec Wickham

27 Quand on les retrouve, on les marie

28 Sa tante lui dit que c'est grâce à Darcy qu'on les a retrouvés

29 Les Bennet apprennent que les Bingley et Darcy reviennent dans la propriété non loin de chez eux

30 Bingley fait sa demande à Jane

31 Darcy la sienne à Elizabeth

32 Les parents Bennet sont hyper heureux

La Religieuse
de Denis Diderot

Diderot et ses amis appréciaient beaucoup la compagnie du marquis de Croismare. Alors que celui-ci s'attardait en Normandie, les vieux galopins eurent l'idée, pour le faire revenir à Paris, de lui monter un canular à partir de l'histoire vraie de Suzanne Simonin. Celle-ci intentait un procès à sa mère l'ayant contrainte à prendre le voile. Cette affaire avait fait grand bruit et passionné le marquis. Pendant des semaines, la religieuse, alias Diderot, écrivit au fameux marquis des lettres racontant ses mésaventures. Celui-ci lui répondit et proposa à la jeune femme de venir en Normandie pour entrer au service de sa fille. Autant dire que la blague fit un flop ! Pour sortir de cet imbroglio, Diderot fit mourir la religieuse. Plus tard toutefois, il révéla la vérité à monsieur de Croismare qui, beau joueur, s'en amusa. Ces péripéties donneront l'idée à notre farceur d'en faire un roman à charge contre l'Église et plus encore contre les couvents, jugeant cette privation de liberté contre-nature. *La Religieuse* paraîtra douze ans après sa mort.

Denis Diderot naît à Langres le 5 octobre 1713. Il part étudier à Paris, où il passe une dizaine d'années plutôt oisives. En 1743, il épouse Anne-Antoinette Champion (qu'il trompera régulièrement), et se lie d'amitié à peu près à la même époque avec Rousseau (avec lequel il finira par se brouiller). Il entame, en collaboration avec d'Alembert, l'adaptation d'une encyclopédie anglaise. Un travail de titan qui ne l'empêche pas de fréquenter assidûment le salon de madame d'Epinay où il rencontre Sophie Volland, avec laquelle il entame une liaison et une remarquable correspondance. Il part en Russie en 1773 rendre visite à Catherine II, qui quelques années auparavant lui avait acheté sa bibliothèque. Il meurt à Paris en 1784.

La Religieuse

1 Marie-Suzanne Simonin est la troisième fille d'un avocat

2 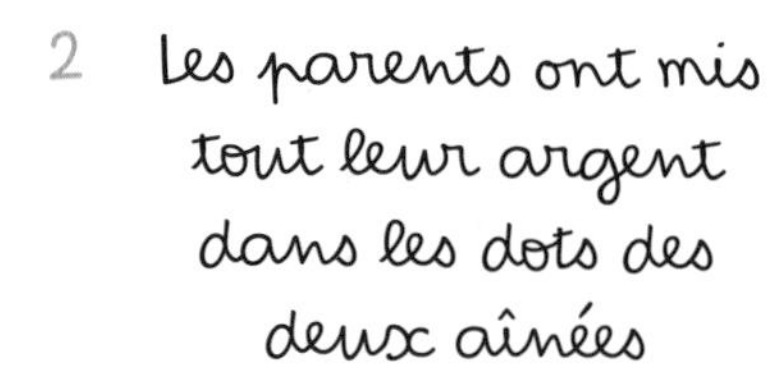
Les parents ont mis tout leur argent dans les dots des deux aînées

3 Ils envoient Marie-Suzanne au couvent

4 Deux ans plus tard, ses parents l'obligent à porter le voile

5 Comme elle s'est mal tenue pendant la cérémonie, elle est punie

6 Marie-Suzanne est une enfant illégitime

7 Ses parents la forcent à rester au couvent pour sauver la mère

8 La mère supérieure est horrible avec elle

9 Marie-Suzanne prend un avocat, le procès dure des semaines

10 Grâce à son avocat, elle change de couvent

11 La nouvelle mère supérieure est très gentille, un peu trop...

12 Marie-Suzanne en parle à son confesseur

13 La mère supérieure la harcèle et comme Marie-Suzanne la rejette, elle devient folle

14 Marie-Suzanne décide de s'enfuir à Paris

15 Elle trouve un travail de blanchisseuse

16 Elle écrit ses mémoires qu'elle envoie au marquis de Croismare

Les Fiancés
d'Alessandro Manzoni

Ils l'auront mérité, leur mariage : sept cents pages à se courir après, à échapper aux enlèvements, arrestations et autres réjouissances, avant le *happy end*. Mais cette calvacade n'est au fond qu'un prétexte pour raconter une histoire beaucoup plus ambitieuse, une épopée milanaise au XVIIe siècle pour laquelle Alessandro Manzoni puise ses renseignements dans des textes de l'époque. Il rêve aussi d'un grand roman populaire dans le genre de ceux de Walter Scott. Jusqu'alors, il avait écrit des poèmes, des essais, des tragédies, mais jamais de roman. Il en commence une première ébauche en 1821, qui paraît six ans plus tard, le laissant insatisfait. Il retravaille d'abord la structure, mais ce qui le chiffonne surtout, c'est le style. En ce temps-là, les Italiens parlent les dialectes de leur région. Cette pluralité se ressent dans l'écriture qui manque d'unité. Alors Manzoni part à Florence, pour s'imprégner de la langue toscane, la plus proche de l'italien tel qu'on le connaît aujourd'hui. Il métamorphose complètement son livre, qui totalisera trois tomes en trente-huit chapitres et reste considéré comme le premier grand roman populaire de la littérature italienne.

Alessandro Manzoni naît à Milan le 7 mars 1785. Il suit des études en Suisse et en Italie. En 1808, il épouse une Genevoise calviniste, Henriette Blondel. Deux ans plus tard, il se marieront à nouveau, mais selon le rite catholique cette fois. Veuf en 1833, il se remarie quatre ans plus tard. La version définitive des *Fiancés* paraît entre 1840 et 1842. Il n'écrira pas d'autre roman et meurt le 29 mai 1873. Ses funérailles se dérouleront en présence du futur roi d'Italie. Un an plus tard, Verdi écrira une messe de requiem à sa mémoire.

Les Fiancés

1 Don Abbondio,
un curé,
se fait arrêter par
deux hommes

2 Ce sont des hommes
de main de don Rodrigo
qui s'est épris de Lucia
dans la rue

ma che
bella
ragazza !

3 Le lendemain,
le curé se fait
porter pâle

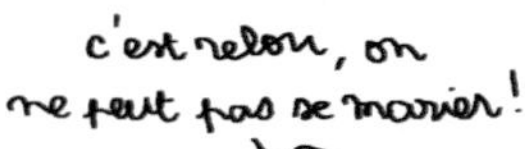

4 Le père Christoforo
se rend chez don Rodrigo
pour tenter de lui faire
entendre raison

5 Le père Christoforo, aide les fiancés à s'enfuir, mais chacun de son côté

6 Renzo part à Milan et Lucia et sa mère dans un monastère, tenu par La Dame

7 La Dame est la fille d'un prince milanais

8 À Milan, il y a une immense manifestation qui oppose les autorités, les boulangers et le peuple

9 Renzo quitte Milan et se réfugie à Gorgonzola

10 Gertrude, La Dame, est en fait complice de don Rodrigo, elle envoie Lucia chez les capucins

11 En chemin, Lucia se fait enlever par un tyran surnommé Inomato, qui l'amène à don Rodrigo

12 Lucia a tellement peur, qu'elle fait un voeu

13 Inomato prend conscience de sa méchanceté et se confie au cardinal Frédéric

14 La peste envahit le pays, don Rodrigo en meurt

15 Père Christoforo convainc Lucia de laisser tomber son voeu

16 Renzo et Lucia se marient et auront beaucoup d'enfants

Vendredi ou la vie sauvage

de Michel Tournier

À l'origine, il y eut un certain Alexander Selkirk qui, en bisbille avec le capitaine du bateau sur lequel il naviguait, demanda qu'on le dépose sur une île déserte. L'affaire vint aux oreilles et à la plume de Daniel Defoe qui publia en 1719 *Robinson Crusoé*, dans lequel un homme échouait sur une île au large du Chili. Il y faisait la connaissance de Vendredi, un sauvage qu'il allait se faire un plaisir d'éduquer.

Cette histoire devenue mythique inspira de nombreux écrivains, dont Michel Tournier. Et cela à deux reprises. Une première fois en 1967, dans *Vendredi ou les limbes du Pacifique*, un récit philosophique. Et une deuxième fois, dix ans plus tard, dans un roman d'aventures plus épuré destiné à un jeune public, *Vendredi ou la vie sauvage*. Ces deux ouvrages prennent le contrepied du roman de Daniel Defoe, car ce n'est plus Robinson qui enseigne la vie à Vendredi, mais Vendredi qui apprend la nature à Robinson. Au point que celui-ci refuse, après vingt-huit ans d'isolement, d'embarquer sur un bateau venant d'accoster. Et tant pis pour madame Crusoé qui ne saura jamais ce qui arriva à son mari.

Michel Tournier naît le 19 décembre 1924 à Paris. Son premier roman, écrit en 1967, *Vendredi ou les limbes du Pacifique*, remporte le Grand prix de l'Académie française. Trois ans plus tard, il gagne le prix Goncourt pour *Le Roi des aulnes* et rejoint l'Académie deux ans plus tard comme juré. Il publie encore *Les Météores* en 1975, *Gaspard, Melchior et Balthazar* en 1980. Il le réécrit trois ans plus tard pour un jeune public sous le titre *Les Rois Mages*, car il est également un auteur prolifique pour la jeunesse. Il meurt en 2016.

Vendredi ou la vie sauvage

1 Robinson se rend en Amérique en bateau, pour voir s'il peut y faire des affaires

2 Une grosse tempête les surprend, il se retrouve sur une île, seul survivant

3 Il va sur le navire pour y récupérer du matériel, des provisions et des graines

4 Il se construit un bateau pour rejoindre un pays

5 Son bateau est trop lourd et il l'a construit trop loin de la mer

6 Désespéré, il se roule dans la boue, marche à quatre pattes

7 Il se reprend en main, construit une maison et dresse un chien

8 Il prend de la vaisselle dans le bateau et le soir s'habille pour dîner

9 Des Indiens débarquent sur l'île, ils coupent en morceaux l'un de leurs compagnons et le brûlent

10 Un des Indiens s'est échappé, les autres repartent comme ils sont venus

11 Un jour, par inadvertance, Vendredi fait sauter la grotte où il y avait la maison et toute les réserves

12 Robinson décide alors qu'il n'y aura plus de contraintes

13 Un jour, une goélette accoste, Robinson demande au capitaine la date

14 Robinson ne veut pas retrouver la civilisation, il n'a pas envie de quitter l'île

si je pars, je serai un vieillard, là-bas, alors qu'ici, je suis jeune pour toujours

15 Robinson n'embarque pas sur le navire

Vendredi... Vendredi... T'es où ?

16 Mais Vendredi, lui, est monté dans la goélette : Robinson est à nouveau seul

INDEX DES CLASSIQUES, PAR ORDRE DE PARUTION

La Religieuse, par Denis Diderot, paru en 1796

Orgueil et préjugés, par Jane Austen, paru en 1813

Les Fiancés, par Alessandro Manzoni, paru en 1827

Les Habits neufs de l'empereur, par Hans Christian Andersen, paru en 18

Une vieille maîtresse, par Jules Barbey d'Aurevilly, paru en 1851

La Chèvre de monsieur Seguin, par Alphonse Daudet, paru en 1866

Crime et châtiment, par Fiodor Dostoïevski, paru en 1866

Vingt mille lieues sous les mers, par Jules Verne, paru en 1869-1870

L'Étrange cas du Dr Jekyll et de Mr Hyde, par Robert Louis Stevenson, paru en 1886

L'Aiguille creuse, par Maurice Leblanc, paru en 1909

Martin Eden, par Jack London, paru en 1909

Le Grand Meaulnes, par Alain-Fournier, paru en 1913

Le Diable au corps, par Raymond Radiguet, paru en 1923

Thérèse Desqueyroux, par François Mauriac, paru en 1927

Vingt-quatre heures de la vie d'une femme, par Stefan Zweig, paru en 192

Les Raisins de la colère, par John Steinbeck, paru en 1939

Aurélien, par Louis Aragon, paru en 1944

Antigone, par Jean Anouilh, paru en 1946

La Peste, par Albert Camus, paru en 1947

Vipère au poing, par Hervé Bazin, paru en 1948

1984, par George Orwell, paru en 1949

Ne tirez pas sur l'oiseau moqueur, par Harper Lee, paru en 1960

Cent ans de solitude, par Gabriel García Márquez, paru en 1967

Vendredi ou la vie sauvage, par Michel Tournier, paru en 1971

Conception graphique : Marie Pécastaing et Rue de Sèvres

SOLEDAD BRAVI

CHEZ LE MÊME ÉDITEUR

La BD de Soledad, la compile de l'année, T1 à T5

L'Iliade et l'Odyssée

Avez-vous lu les classiques de la littérature ? T1 et T2 (avec Pascale Frey)

C'était mieux avant (avec Hervé Éparvier)

Quand on était petits

POURQUOI y a-t-il des inégalités entre les hommes et les femmes ?
Nouvelle édition enrichie (avec Dorothée Werner)

À L'ÉCOLE DES LOISIRS

Le raton laveur qui ne voulait pas se laver

Le livre des c'est pas moi ! (avec Hervé Éparvier)

CHEZ CASTERMAN

Restons calmes

La vraie vie du docteur Aga (avec Alix Girod de l'Ain)

CHEZ BAYARD

Le pigeon qui voulait être un canard (avec Lili Bravi)

CHEZ DENOËL GRAPHIC

Bart is back